安徒生童话

世界经典童话宝库·彩图注音版

原 著／安徒生

总策划／邢涛 主 编／龚勋

FAIRY TALES OF ANDERSEN

下

中国书店

CONTENTS

目录

安徒生童话 下

FAIRY TALES OF ANDERSEN

卖火柴的小女孩

这是圣诞节的前夜，大雪纷纷扬扬地下着，天冷得可怕。

在这样又黑又冷的夜晚，一个卖火柴的小女孩正赤着脚在街道上走着。

小女孩离开家的时候，脚上还穿着一双妈妈的大拖鞋，可是这双不合脚的拖鞋在她躲避马车时给跑掉了。其中一只被一个男孩抢走了，另一只怎么也找不到。那个男孩还说，等他

将来有了孩子，可以把它当成摇篮来用。

小女孩就这样赤着脚在雪地里走着，雪花落在她那金黄色的长发上，使她看上去美丽极了。可谁也没有注意到她，谁也没有向她买过一根火柴，给过她一个铜板。

街道旁边的人家都亮起了灯，屋子里飘出一阵阵烤鹅的香味。小女孩知道，今天是平安夜。她又冷又饿，可是她不敢回家。因为她没卖掉一根火柴，没赚到一个铜板，爸爸会打她的。她只能继

续在大街上叫
卖自己的火柴。

可是外面实在太冷了，小女孩的一双小脚几乎要冻僵了。为了能够使自己暖和一点，她找了一个背风的角落坐了下来。真冷啊，要是点燃一根小小的火柴，暖暖身子该多好呀。

小女孩想来想去，终于抽出一根火柴，在墙上一擦。"哧！"一簇小小的火苗冒了出来。小女孩赶紧把手放在火苗上面。

小小的火光多么美丽、多么温暖呀！

她仿佛觉得自己正坐在火炉旁，火炉里面烧

着旺旺的炉火。

小女孩刚想伸出脚暖和一下，火苗却熄灭了，火炉也不见了，只剩下已经烧过的火柴梗。

小女孩又擦了一根火柴。"嗤！"火苗又蹿了出来，发出亮亮的光。

墙被照亮了，变得透明了。她仿佛看见了房间里的东西：桌上铺着雪白的大台布，上面放满了各种各样好吃的东西。非常丰盛。一只烤鹅突然从盘子里跳出来，背上插着刀叉，摇摇晃晃地向她走来。几个大面包也从桌上跳下来，一个个像士兵一样排着队向她走来。就在

这时，火柴又熄灭了，小女孩面前又只剩下
一面又黑又冷的墙。

小女孩舍不得擦火柴了，可她冻得浑身
直抖。她不禁又擦了一根。"哧！"一朵明
亮的火焰花开了出来。

哇！多么美丽的圣诞树呀，这是她
见过的最大最美的圣诞树。圣诞树上
挂着许多彩色的圣诞卡，那上面画有

各种各样的美丽图画。树上还点着几千支蜡烛，一闪一闪地好像星星在向她眨眼问好。小女

孩刚把手伸过去，火柴又熄灭了，周围又是一片漆黑。

小女孩赶紧又擦亮了一根火柴。这次，她看到圣诞树上的烛光升了起来，变成了一颗颗明亮的星星。有一颗星星落下来了，在天上划出一条长长的光线。

"又有一个人去世了。"小女孩心想，因为奶奶曾经告诉过她：天上落下一颗星，地上就有一个灵魂升到了上帝那儿。奶奶是最疼爱小女孩的人，也是小女孩最爱的人，可是她已经死了。

小女孩又擦亮一根火柴，奶奶在火光中出现了。"奶奶——"小女孩激动得热泪盈眶，她立刻扑进了奶奶的怀抱。

"奶奶，请把我带走吧，我知道，火柴一熄灭，你就会不见了！"小女孩把手里的火柴一根接一根地擦亮，因为她非常想把奶奶留下来。

奶奶从来也没有像现在这样美丽和高大。她把小女孩搂在怀里，然后带着小女孩在光明和快乐中飞了起来。她们越飞越高，飞向了没有寒冷、没有饥饿的天堂。

火柴熄灭了，四周一片漆黑，小女孩幸福地闭上了眼睛。

圣诞节的早晨，雪停了，风小了，太阳升起来了，照得大地金灿灿的。人们来到街上，发现一个小女孩冻死在墙角。她的脸上放着光彩，嘴边露着微笑。周围的地上撒满了火柴梗，小女孩的小手中还捏着一根烧尽的火柴。

"她想让自己暖和一下！"人们说。

可是谁也不知道，小女孩曾经看到过多么美丽的东西，她曾经多么幸福地跟奶奶一起飞向了天堂。

玫瑰花精

huā yuán zhōng yāng yǒu yí gè méi gui huā cóng shàng miàn kāi mǎn
花园中央有一个玫瑰花丛，上面开满

le méi gui huā zài zuì měi de yì duǒ méi gui huā li zhù zhe yí
了玫瑰花。在最美的一朵玫瑰花里，住着一

gè xiǎo xiǎo de huā jīng xiǎo de lián rén yǎn dōu wú fǎ kàn dào tā
个小小的花精，小得连人眼都无法看到她。

tā jīng cháng pū shǎn zhe yì shuāng tòu míng de xiǎo chì bǎng cóng zhè duǒ huā
她经常扑闪着一双透明的小翅膀，从这朵花

fēi dào nà duǒ huā
飞到那朵花。

yì tiān xiǎo huā jīng yí dà zǎo
一天，小花精一大早

jiù fēi chū qù wán bàng wǎn
就飞出去玩。傍晚

de shí hou tiān qì biàn
的时候，天气变

lěng le děng xiǎo huā jīng
冷了，等小花精

回到玫瑰园时，所有的玫瑰花都已经闭上了。小花精没有办法进去，于是，她决定到花亭那儿的金银花里过一夜。

她飞到花亭那儿，发现花亭里坐着一个英俊的小伙子和一个美丽的姑娘。他们偎依得那么紧，一看就是一对相爱着的恋人。

"我们不得不分开一阵子，"小伙子说，"你的哥哥不喜欢我们俩在一起，所以他要我到一个遥远的地方去办一件差事。等我回来吧，我亲爱的新娘！"

美丽的姑娘哭了起来。过了一会儿，她拿出一朵玫瑰花送给小伙子。她在把这朵花交给心上人之前，先在上面深深地吻了一下。

她吻得那么诚恳、那么热烈，以致花都自动地张开了。小花精见了，赶紧飞进花里，把头靠在那些柔嫩、芬芳的花瓣上。

小伙子告别心爱的姑娘，一路上不停地亲吻着玫瑰花，他完全沉浸在浓浓的爱意

^{zhī zhōng}
之中。

^{dāng tā zǒu jìn yīn àn de sēn lín shí　yí gè yīn xiǎn dú}
当他走进阴暗的森林时，一个阴险毒

^{là de rén tū rán chū xiàn le　zhè gè rén jiù shì nà gè měi lì}
辣的人突然出现了。这个人就是那个美丽

^{gū niang de huài gē ge}
姑娘的坏哥哥。

^{huài gē ge bá chū dāo　chèn zhe xiǎo huǒ zi zhèng zài qīn wěn méi}
坏哥哥拔出刀，趁着小伙子正在亲吻玫

^{gui huā de shí hou　yì dāo bǎ tā cì sǐ le　jiē zhe　huài gē}
瑰花的时候，一刀把他刺死了。接着，坏哥

^{ge yòu gē xià xiǎo huǒ zi de tóu　lián tóng tā de shēn tǐ yì qǐ mái}
哥又割下小伙子的头，连同他的身体一起埋

^{zài le lù páng de pú tí shù xià}
在了路旁的菩提树下。

^{hǎo le　tā zhōng yú kě yǐ bèi rén chè dǐ wàng jì le}
"好了，他终于可以被人彻底忘记了。"

^{zhè gè è dú de gē ge yǐ wéi zì jǐ zuò de huài shì méi rén huì}
这个恶毒的哥哥以为自己做的坏事没人会

^{zhī dào　dàn shì tā què méi liào dào　xiǎo huā jīng yǐ}
知道，但是他却没料到，小花精已

^{jīng mù dǔ le zhè yí qiè}
经目睹了这一切。

^{xiǎo huā jīng zuān jìn huài gē ge}
小花精钻进坏哥哥

^{de mào zi　gēn zhe tā huí}
的帽子，跟着他回

^{le jiā}
了家。

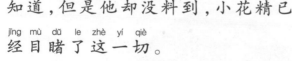

huài gē ge dào jiā shí　　mèi mei
坏哥哥到家时，妹妹
hái zài shú shuì　　tā zhèng zài mèng zhōng hé
还在熟睡，她正在梦中和
xīn ài de rén xiāng huì ne　　huài gē ge
心爱的人相会呢。坏哥哥
kàn zhe mèi mei　　fā chū yí zhèn zhǐ yǒu
看着妹妹，发出一阵只有
è mó cái néng fā chū de xiào shēng
恶魔才能发出的笑声。

děng huài gē ge zǒu hòu　　xiǎo huā
等坏哥哥走后，小花
jīng qiāo qiāo de fēi dào gū niang de ěr
精悄悄地飞到姑娘的耳
biān　　xiàng zài mèng zhōng yí yàng　　bǎ huài
边，像在梦中一样，把坏

gē ge móu shā xiǎo huǒ zi de shì gào su
哥哥谋杀小伙子的事告诉

le tā bìng bǎ mái zàng xiǎo huǒ zi de dì
了她，并把埋葬小伙子的地

diǎn shuō le chū lái
点说了出来。

měi lì de gū niang xǐng le guò lái
美丽的姑娘醒了过来。

tā gāng cái zuò le yí gè kě pà de mèng
她刚才做了一个可怕的梦，

mèng zhōng yǒu yí gè rén duì tā shuō xiǎo huǒ
梦中有一个人对她说：小伙

zi yǐ jīng sǐ le bìng qiě bèi mái zài le dà
子已经死了，并且被埋在了大

sēn lín li de yì kē pú tí shù xià
森林里的一棵菩提树下。

tā bù xiāng xìn zhè shì zhēn de jí máng gǎn dào mèng zhōng nà
她不相信这是真的，急忙赶到梦中那

gè rén suǒ shuō de dì diǎn tā wā kāi pú tí shù xià de tǔ xiǎo
个人所说的地点。她挖开菩提树下的土，小

huǒ zi de shī tǐ lì kè bào lù le chū lái gū niang kàn dào ài
伙子的尸体立刻暴露了出来。姑娘看到爱

rén de shī tǐ hòu dùn shí lèi rú yǔ xià
人的尸体后，顿时泪如雨下。

gū niang kū le hǎo jiǔ zuì hòu tā bǎ ài rén de tóu lú
姑娘哭了好久，最后，她把爱人的头颅

bāo qǐ lái bìng zài páng biān zhé xià yì gēn sù xīn huā de zhī zi
包起来，并在旁边折下一根素馨花的枝子，

yì qǐ dài huí le jiā
一起带回了家。

huí dào jiā hòu gū niang bǎ xiǎo huǒ zi de tóu lú fàng zài yì
回到家后，姑娘把小伙子的头颅放在一

gè dà huā pén li　　gài shàng tǔ　　rán hòu zāi shàng sù xīn huā de
个大花盆里，盖上土，然后栽上素馨花的

zhī zi
枝子。

cǐ hòu　　kě lián de gū niang tiān tiān duì zhe huā pén liú lèi
此后，可怜的姑娘天天对着花盆流泪。

bù jiǔ　　tā jiù yóu yú bēi shāng guò dù ér sǐ qù le
不久，她就由于悲伤过度而死去了。

gū niang sǐ hòu de dì èr tiān　　sù xīn huā jiù kāi chū le dà
姑娘死后的第二天，素馨花就开出了大

duǒ de bái huā　　nà gè è dú de gē ge rèn wéi zhè shì tā de
朵的白花。那个恶毒的哥哥认为这是他的

jì chéng wù　　jiù bǎ sù xīn huā bān dào zì jǐ de fáng jiān　　bǎi zài
继承物，就把素馨花搬到自己的房间，摆在

le chuáng tóu
了床头。

xiǎo huā jīng yě yí kuàir gēn zhe guò qù le　　tā cóng zhè
小花精也一块儿跟着过去了。她从这

duǒ huā fēi dào nà duǒ huā　　yīn wèi měi duǒ huā li dōu zhù zhe yí gè
朵花飞到那朵花，因为每朵花里都住着一个

líng hún　　tā jiāng huài gē ge móu hài xiǎo huǒ zi de shì qing tōng tōng
灵魂。她将坏哥哥谋害小伙子的事情通通

告诉了这些花的灵魂。

"这件事我们都知道!"每个花朵里的灵魂都这么说。

小花精见他们这么冷漠,就把事情又告诉给蜜蜂的皇后。蜂后听后立刻下令,让蜜蜂们第二天早晨把那个坏哥哥刺死。

可是就在这一天晚上,当坏哥哥正躺在床上睡觉的时候,花忽然都开了。花的灵魂带着毒剑,从花里飞出来,用毒剑狠狠地刺向恶毒的哥哥。就这样,他得到了应有的惩罚。

第二天早晨,当小花精和蜂后带着一大群蜜蜂想要刺死坏哥哥的时候,却发现坏哥哥的床前围满了人——他已经死了。

"他是被素馨花熏死的。"屋子里的人这样说道。

小花精知道是素馨花报的仇。她把这件事告诉蜂后，蜂后就带着成群的蜜蜂在花盆的周围嗡嗡地叫着，怎么也驱不散。

于是，有人想把花盆搬走。这时，一只蜜蜂猛地蜇了他一下。这个人手一松，花盆落到地上，摔成了碎片，埋在花盆里的头颅顿时显露了出来。

大家这才明白，床上死去的人竟然是个杀人犯。

母亲的故事

在寒冬的一个晚上，一位母亲坐在她
的孩子身边，看起来非常焦虑。

她的孩子躺在摇篮里，闭着眼睛，脸上
没有一点儿血色，很困难地呼吸着。

"咚咚咚"，有人在敲门。

母亲打开门一看，是一个穷苦

de lǎo rén 的老人。lǎo rén chuān de hěn dān bó 老人穿得很单薄，dòng de hún shēn fā dǒu 冻得浑身发抖。

mǔ qīn qǐng lǎo rén jìn wū 母亲请老人进屋，gěi tā dào le yì bēi rè guò de 给他倒了一杯热过的

pí jiǔ 啤酒，ràng tā nuǎn huo yí xià 让他暖和一下。lǎo rén hē guò pí jiǔ 老人喝过啤酒，zuò zài 坐在

yáo lán biān 摇篮边，qīng qīng de yáo qǐ le yáo lán 轻轻地摇起了摇篮。mǔ qīn zài lìng yì zhāng 母亲在另一张

yǐ zi shang zuò xià lái 椅子上坐下来，yīn wèi sān tiān sān yè méi yǒu hé guò yǎn 因为三天三夜没有合过眼，

tā gǎn dào zì jǐ de tóu yuè lái yuè zhòng 她感到自己的头越来越重，zuì hòu bù zhī bù jué 最后不知不觉

de shuì zháo le 地睡着了。bú guò tā yì huìr jiù xǐng le 不过她一会儿就醒了。

zhè shì zěn me huí shì "这是怎么回事？"tā dà jiào qǐ lái 她大叫起来。

 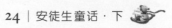

那个老人已经不见了，她的孩子也不见了。

母亲赶紧跑到外面，大声地喊着她的孩子。

外面的雪地上坐着一个穿着黑色长袍的女人。她说："我是'夜之神'。我看到死神刚才坐在你的房间里，是他抱走了你的孩子。"

"请告诉我，他朝哪个方向走了？"母亲焦急地问。

"我知道！"夜之神说，"不过在我告诉你之

qián　nǐ bì xū bǎ nǐ duì nǐ de hái zi chàng guò de gē dōu chàng
前，你必须把你对你的孩子唱过的歌都唱

gěi wǒ tīng yí cì　　wǒ fēi cháng xǐ huan nà xiē gē
给我听一次。我非常喜欢那些歌。"

mǔ qīn méi yǒu bàn fǎ　　zhǐ hǎo liú zhe lèi chàng qǐ nà xiē
母亲没有办法，只好流着泪唱起那些

gē　yè zhī shén tīng hòu　shuō　　sǐ shén yán zhe yòu biān nà tiáo
歌。夜之神听后，说："死神沿着右边那条

lù xiàng hēi cōng shù lín zǒu qù le
路向黑枞树林走去了。"

mǔ qīn gǎn jǐn xiàng cōng shù lín li zǒu qù　　dàn dāng tā zǒu
母亲赶紧向枞树林里走去。但当她走

dào shù lín shēn chù de chà lù kǒu shí　bù zhī dào zǒu nǎ tiáo lù hǎo
到树林深处的岔路口时，不知道走哪条路好。

tā kàn dào páng biān yǒu yì cóng jīng jí　jiù wèn　　qǐng wèn
她看到旁边有一丛荆棘，就问："请问，

nǐ kàn dào sǐ shén bào zhe wǒ de hái zi zǒu guò qù le ma
你看到死神抱着我的孩子走过去了吗？"

"看到过。"荆棘丛说,"不过,除非你把我抱在你的胸脯上温暖一下,我才会告诉你他所去的方向。我在这儿快要冻死了。"

母亲立刻把荆棘丛紧紧地抱在自己的胸脯上。荆棘的尖刺深深地刺进她的肉里,她的血一滴一滴地流出来。荆棘得到温暖,竟然在这寒冷的冬夜长出了绿叶,开出了花朵。于是,它说出了死神所去的方向。

母亲走上荆棘丛所指的那条路,不一会儿,她就来到了一个大湖边。湖上没有船,结的冰又不够厚,母亲没有办法过去,急得哭了起来。

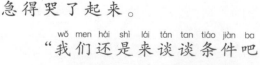

"我们还是来谈谈条件吧!

如果你能够把你的眼珠哭出来，交给我的话，我就把你送到死神的温室里。他是上帝的园丁，在那儿为上帝种植着花和树。"湖说。

"为了我的孩子，我什么都可以牺牲！"

母亲说着，越哭越厉害，直到把她的两颗眼珠哭了出来，坠到湖里。湖很高兴，就托着母亲，把她送到对岸死神的温室前。

不久，死神就回来了。"你是怎么找到这里的？"他问，"你怎么比我还来得早？"

"因为我是一个母亲呀！"母亲说，"请把我的孩子还给我吧！"

"这是你的眼珠，"死神说，"它们特别明亮，所以我把它们捞回来了。现在还给你！请你朝旁边那个井底望一下，你将会看到

你孩子的未来。"

母亲朝井底望去，她看到一个生命愉快而欢乐地生活着；她又看到另一个生命在贫困、苦难中挣扎。

"这是你孩子的命运，留在你身边，他将被苦难包围；离开你，他将拥有幸福。"

"如果是这样，请您把他带到上帝的国度里去吧！"母亲跪着请求死神。

于是，死神带着她的孩子飞向了天堂。

拇指姑娘

cóng qián　　yǒu yí gè nǚ rén xǔ duō nián le dōu méi yǒu shēng
从前，有一个女人许多年了都没有生

chū hái zi 　tā fēi cháng xī wàng néng yǒu gè hái zi 　yú shì qù
出孩子。她非常希望能有个孩子，于是去

qǐng jiào yí wèi wū pó 　wū pó gěi le tā yì kē zhǒng zi 　ràng
请教一位巫婆。巫婆给了她一颗种子，让

tā huí jiā hòu bǎ tā mái zài tǔ li
她回家后把它埋在土里。

nǚ rén huí dào jiā hòu bǎ zhǒng zi zhòng zài le huā pén li
女人回到家后把种子种在了花盆里。

bù jiǔ 　zhǒng zi jiù kāi shǐ fā yá 、zhǎng gāo 　zuì hòu jié le yí
不久，种子就开始发芽、长高，最后结了一

gè měi lì de dà huā bāo
个美丽的大花苞。

duō me měi lì de huā bāo a 　 nǚ rén qíng bù zì jīn
"多么美丽的花苞啊！"女人情不自禁

de zài huā bāo shang wěn le yí xià
地在花苞上吻了一下。

就在这时，只听

"啪"的一声，花苞忽然

绽放了，里面坐着一位

娇小可爱的姑娘。她还没

有拇指的一半长，因此大家就叫她"拇指姑

娘"。 拇指姑娘长得很漂亮，唱歌也很好

听，深受女人的喜爱！

白天，拇指姑娘就在桌子上玩耍。

桌子上放着一只盛着水的盘子，

里面漂着一片很大

的郁金香的花瓣。

拇指姑娘常常坐在花瓣上，一边唱歌，一边划着花瓣小船。

夜晚，拇指姑娘睡在一个核桃壳做成的摇篮里，蓝色紫罗兰的花瓣是她的床垫，玫瑰的花瓣是她的被子。

一天晚上，拇指姑娘正在熟睡时，一只难看的癞蛤蟆从窗子外面跳进来，抓走了她。

原来，这只癞蛤蟆打算让拇指姑娘做自己的儿媳妇。

癞蛤蟆的家住在又低又湿的小溪边。她怕拇指姑娘逃走，就把拇指姑娘放在溪水

 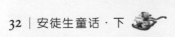

里一片宽大的叶子上面。那片叶子对拇指
姑娘来说简直就是一个小岛。

清晨,拇指姑娘醒来了。她看到自己被
困在了水中央,回不了家,不由得伤心地哭
了起来。

癞蛤蟆游了过来,要拇指姑娘嫁给她的
儿子,然后带着儿子装修新房去了。拇指
姑娘不愿意跟一个讨厌的癞蛤蟆住在一起。
于是,她又大声地哭了起来。

水里的小鱼听见了拇指姑娘的哭声，很可怜她，就合力咬断了叶柄。于是，睡莲叶载着拇指姑娘，顺着水流漂走了，越漂越远。

拇指姑娘就这样在树林里开始了流浪生活。她用草叶为自己编了一张小床，饿了就吃点花蜜，渴了就喝每天早晨凝结在叶子上的露珠。

渐渐地，夏天过去了，秋天也过去了，又冷又长的冬天来了。

拇指姑娘冷得浑身发抖。此刻，花都凋零了，拇指姑娘无处可住，只好裹着一片枯树叶，在树林里流浪。

最后，她来到了一只田鼠的家门口。好心肠的田鼠很喜欢拇指姑娘，就收留了她。

于是，拇指姑娘在田鼠家住了下来，她每天帮田鼠收拾屋子，还讲故事给田鼠听。

有一天，田鼠的邻居鼹鼠来拜访了。他穿着黑天鹅绒袍子，看上去很有钱。

拇指姑娘为鼹鼠唱了几支歌。她的歌声甜美极了，鼹鼠不知不觉地爱上了她。于是，鼹鼠邀请拇指姑娘去他家的地道里散步。拇指姑娘欣然接受了邀请。

在鼹鼠家的地道里，

mǔ zhǐ gū niang fā xiàn le yì zhǐ yàn zi
拇指姑娘发现了一只燕子。

nà zhǐ yàn zi yǐ jīng dòng jiāng le tǎng zài dì shang yí dòng bú
那只燕子已经冻僵了，躺在地上一动不

dòng mǔ zhǐ gū niang nán guò jí le yīn wèi tā fēi cháng xǐ ài niǎor
动。拇指姑娘难过极了，因为她非常喜爱鸟

tā men céng jīng zhěng gè xià tiān dōu wèi tā chàng měi miào de gē
儿，他们曾经整个夏天都为她唱美妙的歌，

gēn tā shuō huà
跟她说话。

mǔ zhǐ gū niang wān xià yāo qīng qīng de lǐ le lǐ yàn zi de
拇指姑娘弯下腰，轻轻地理了理燕子的

yǔ máo yòu dī xià tóu zài tā bì zhe de shuāng yǎn shang qīng qīng
羽毛，又低下头，在他闭着的双眼上轻轻

de wěn le yí xià
地吻了一下。

huí dào jiā hòu mǔ zhǐ gū niang yòng cǎo biān le yì zhāng dà tǎn
回到家后，拇指姑娘用草编了一张大毯

zi bǎ yàn zi de quán shēn gài hǎo yàn zi dé dào le wēn nuǎn
子，把燕子的全身盖好。燕子得到了温暖，

jiàn jiàn sū xǐng guò lái le
渐渐苏醒过来了。

zhěng zhěng yí gè dōng tiān mǔ zhǐ gū niang dōu zài xī xīn de
整整一个冬天，拇指姑娘都在悉心地

照料燕子。

当第二年春天到来的时候，燕子的体力
已经完全恢复了。

燕子向拇指姑娘告别了，他问拇指姑娘
愿不愿意跟他一起离开。拇指姑娘谢绝了，
因为她知道，如果她这样离开的话，田鼠会
感到很痛苦的。

"那么再会吧，可爱的姑娘！"燕子说
完，就向绿色的森林里飞去了。

燕子飞走没几天，鼹鼠就向拇指姑娘求
婚了。田鼠很高兴，决定
等夏天过去的时候，就把
拇指姑娘嫁给鼹鼠。
可是拇指姑娘一点儿
也不高兴，因为
她很讨厌鼹鼠。

夏天很快过去了，婚礼就要举行了。拇指姑娘即将住在深深的地下，永远也不能到温暖的太阳光中来了——因为鼹鼠很讨厌太阳。

拇指姑娘很难过，她伸手向太阳告别，并且对盛开的小红花说："假如你看到了那只燕子，请代我向他问候一声，说我非常想念他。"

"嘀哩！嘀哩！"就在这时候，一个熟悉的声音忽然在拇指姑娘的头上叫起来。她抬头一看，正是那只燕子。

拇指姑娘告诉燕子，她是多么不愿意嫁给那只丑恶的鼹鼠。一说到这儿，她就忍不住哭起来了。

"寒冷的冬天就要到来了，"燕子说，"我要飞到温暖的国度去。你可以骑在我的背上，离开丑恶的鼹鼠和他那黑暗的房子，到温暖的国度去。那儿的阳光比这儿更明艳，那儿永远开着美丽的花朵。跟我一起去吧！"

"好的，我和你一块儿去！"拇指姑娘说着，爬上了燕子的后背。

燕子带着拇指姑娘飞过森林，飞过大海，飞过常年积雪的大山。最后，他们来到了温暖的国度。这儿阳光更加灿烂，到处盛开着美丽的花朵。

燕子把拇指姑娘放在一片宽阔的花瓣

上面。在那

朵花的中央，坐着

一个和拇指姑娘一样大小

的英俊男子。他就是花中的大使，而且还

是所有天使的国王。

小国王看到美丽的拇指姑娘，一下子就

爱上她了。他从头上取下自己的金王冠，把

它戴到拇指姑娘的头上，问她愿不愿意做他

的王后。

拇指姑娘也非常喜欢这位英俊的小国

王——相比较癞蛤蟆的儿子和穿着黑天鹅

绒袍子的鼹鼠来说，年轻的王子更适合做她

的丈夫，因此拇指姑娘毫不犹豫地回答："我

愿意！"

从此，拇指姑娘和花中的天使们在一

起，过上了幸福而又自在的生活。

钱猪

婴儿室里有许多玩具，还有一个储蓄罐。他是用泥烧的，长着一副猪模样，所以大家都叫他钱猪。钱猪的肚子里装满了钱，连摇都摇不响。

钱猪高高地站在橱柜上，瞧不起房里的其他东西。他很清楚，他肚皮里所装的钱可以买下这里所有的玩具。当然，那些玩具也知道这一点。

一天半夜，月亮从窗

子外面照进来，送来不要钱的光。一个补了一次的玩偶看看明亮的屋子，说："我们来演出一场戏好吗？"屋子里立刻骚动起来。

屋子里的所有玩具都被邀请了，只有钱猪接到一张手写的请帖，因为他的地位很高。可是，钱猪不想参加演出，他只想坐在家里欣赏。

大家照他的意思办了，谁叫他地位那么高呢！舞台布置得很好，钱猪哪怕坐着不

动，也能一眼就看到台上的表演。

演出开始了。这出戏没有什么价值，但是演得很好。那个补了一次的玩偶是那么兴奋，弄得她的补丁都松开了。钱猪也看得兴奋起来，他决定要为演员中的某一位做点事情。他要在遗嘱上写下，到了适当的时候，他要这位演员跟他一起葬在公墓里。

钱猪越想越激动，突然，"啪"的一声，他从橱柜上掉了下来，摔成了碎片。他肚子里所有的钱都打着转儿滚开了，而那些碎片则被扫进了垃圾箱。

荞麦

tián yě li yǒu yì kē nián lǎo de dà
田野里有一棵年老的大

liǔ shù　tā de shù shēn xiàng qián wān　zhī tiáo
柳树，他的树身向前弯，枝条

yì zhí chuí dào dì shang　xiàng cháng cháng de
一直垂到地上，像长长的

lǜ tóu fa yí yàng　dà shù shēn páng
绿头发一样。大树身旁

de tián li zhǎng zhe kuài yào chéng shú de
的田里长着快要成熟的

luǒ mài　dà mài hé yàn mài　tā
裸麦、大麦和燕麦。他

们显得很谦卑，把身子垂得很低。

大树对面也有一块田，里面长满了荞麦。荞麦不像别的麦子，他们的身子一点儿也不弯，都直挺挺地立着，摆出一副骄傲的神情。

"我们长得真丰满，"他们说，"我们还非常漂亮，谁看到我们都会感到愉快。老柳树，你知道还有什么别的东西比我们更美丽吗？"

老柳树心想："我当然知道！"可是他没有说出来。于是，荞麦更加骄傲了。

这时，一阵可怕的暴风雨到来了。田野上别的麦子都把头垂下来，可是荞麦仍然骄傲

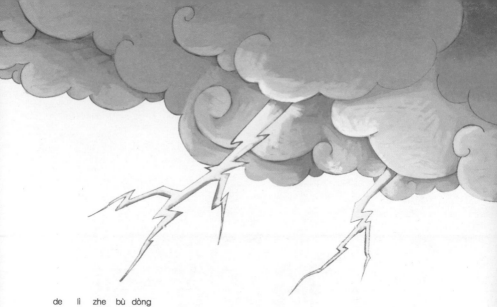

de lì zhe bù dòng
地立着不动。

gǎn jǐn bǎ nǐ men de tóu chuí xià lái　　　lǎo liǔ shù shuō
"赶紧把你们的头垂下来!"老柳树说,

dāng yún kuài liè kāi de shí hou　　shǎn diàn huì dǎ dào nǐ men de
"当云块裂开的时候,闪电会打到你们的!"

zhè yǒu shén me hǎo pà de　　　qiáo mài bù yǐ wéi rán de
"这有什么好怕的,"荞麦不以为然地

shuō　　wǒ men dào yào kàn kan shǎn diàn néng bǎ wǒ men zěn me yàng
说,"我们倒要看看闪电能把我们怎么样!"

tā men zhēn de zhè yàng ào màn ér zì dà de zuò le　　zhè shí　　yí
他们真的这样傲慢而自大地做了。这时,一

dào shǎn diàn dǎ xià lái
道闪电打下来⋯⋯

è liè de tiān qì guò qù yǐ hòu　　qí tā mài zi zài qīng xīn
恶劣的天气过去以后,其他麦子在清新

de kōng qì zhōng zhàn lì zhe　　bèi yǔ xǐ de huàn rán yì xīn　　kě
的空气中站立着,被雨洗得焕然一新。可

shì qiáo mài què bèi shǎn diàn shāo de xiàng tàn yí yàng jiāo hēi　　tā men xiàn
是荞麦却被闪电烧得像炭一样焦黑,他们现

zài biàn chéng le tián lǐ méi yòng de sǐ cǎo
在变成了田里没用的死草。

跳高者

yǒu yí cì tiào zǎo zhà měng hé tiào é yì zhǒng dān mài
有一次，跳蚤、蚱蜢和跳鹅（一种丹麦

de wán jù xiǎng zhī dào tā men zhī zhōng shuí tiào de zuì gāo yú shì
的玩具）想知道他们之中谁跳得最高，于是

jué dìng jǔ xíng yì chǎng bǐ sài bǐ sài nà tiān tā men bǎ suǒ yǒu
决定举行一场比赛。比赛那天，他们把所有

yuàn yì lái de rén dōu qǐng lái cān guān zhè gè wěi dà de
愿意来的人都请来参观这个伟大的

chǎng miàn qí zhōng bāo kuò guó wáng hé gōng zhǔ
场面，其中包括国王和公主。

shuí tiào de zuì gāo wǒ
"谁跳得最高，我

jiù bǎ nǚ ér jià gěi shuí guó
就把女儿嫁给谁！"国

wáng shuō wǒ kě bù néng
王说，"我可不能

ràng zhè xiē péng you bái
让这些朋友白

白地跳一场！”

　　跳蚤第一个出场，他非常有礼貌地向人们敬礼。这是因为他体内流淌着一位高贵的小姐的血液。

　　接着，穿着绿制服的蚱蜢出场了。他的外表表明他出身于埃及的一个古老家庭，因此他非常受人们尊敬。

　　跳蚤和蚱蜢都明确地表明了他们的身份，他们都认为自己有资格和一位公主结婚。

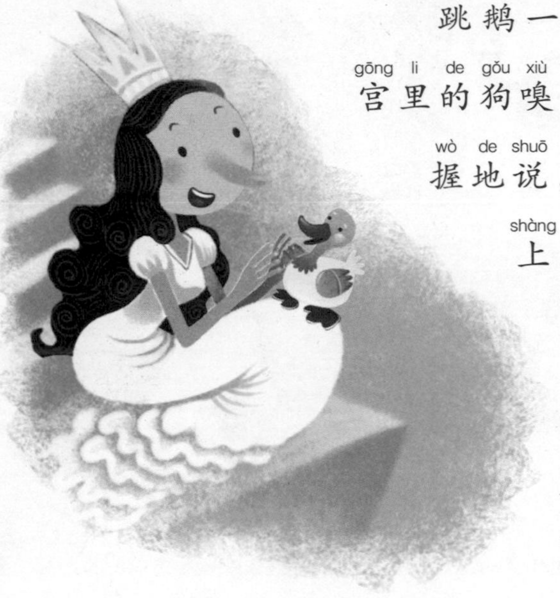

tiào é yí jù huà yě bù shuō
跳鹅一句话也不说。

gōng li de gǒu xiù le xiù tā hěn yǒu bǎ
宫里的狗嗅了嗅他，很有把

wò de shuō tiào é lái zì yí gè
握地说，跳鹅来自一个

shàng děng de jiā tíng
上等的家庭。

xiàn zài tā men
现在他们

kāi shǐ tiào le tiào
开始跳了。跳

zǎo tiào de fēi cháng gāo
蚤跳得非常高，

shuí yě kàn bù jiàn tā
谁也看不见他，

yīn cǐ dà jiā jiù shuō tā wán quán méi yǒu tiào
因此大家就说他完全没有跳。

zhà měng tiào de méi yǒu tiào zǎo yí bàn gāo bú guò tā shì
蚱蜢跳得没有跳蚤一半高。不过他是

cháo guó wáng de liǎn shang tiào guò qù de yīn cǐ guó wáng jiù shuō
朝国王的脸上跳过去的，因此国王就说：

zhè jiǎn zhí tài kě wù le tiào é chén sī le yí huìr rán
“这简直太可恶了。”跳鹅沉思了一会儿，然

hòu yí xià zi tiào dào gōng zhǔ de xī shang qù le
后一下子跳到公主的膝上去了。

guó wáng shuō shuí tiào dào le wǒ de nǚ ér shēn shang shuí
国王说：“谁跳到了我的女儿身上，谁

jiù tiào de zuì gāo yīn wèi zhè jiù shì tiào gāo de mù dì
就跳得最高，因为这就是跳高的目的。”

suǒ yǐ tiào é dé dào le gōng zhǔ
所以跳鹅得到了公主。

跳蚤和教授

cóng qián yǒu yí gè hěn xǐ huan tàn xiǎn de jiào shòu tā fēi
从前有一个很喜欢探险的教授，他非

cháng xiǎng yōng yǒu yí gè qì qiú jiào shòu de zhù shǒu shì yì zhī tiào
常想拥有一个气球。教授的助手是一只跳

zǎo tā huì jǔ qiāng jìng lǐ fàng pào bú guò shì yì zūn hěn
蚤，它会举枪敬礼、放炮——不过是一尊很

xiǎo de pào jiào shòu hé tiào zǎo zǒu biàn le suǒ yǒu
小的炮。教授和跳蚤走遍了所有

de guó jiā zhǐ shì méi yǒu qù guò
的国家，只是没有去过

yě rén guó yīn cǐ tā men jué
野人国，因此他们决

dìng dào yě rén guó qù
定到野人国去。

yě rén guó de tǒng zhì zhě
野人国的统治者

shì tā men de gōng zhǔ tiào zǎo jiàn
是他们的公主。跳蚤见

到她，马上就举枪敬礼、放炮。公主立刻就
被跳蚤迷住了。

"我要你永远陪在我身边！"她说。

公主跟跳蚤在一起，每天都过得很快
乐。不过教授却厌倦了野人国的生活，他在
想如何才能和跳蚤一起离开这里。办法终
于想出来了！他找到公主的父亲，说："公主
的父王，我想训练全国人民学会放炮，这在
其他国家叫做文化。"

"可是这里没有大炮
啊！"公主的父王说。

"我来制造一门大炮吧！"教授说，"不过它就像一只气球。你只需供给我做气球的材料，到时候它就会发出大炮的轰声。"

教授所要求的东西都得到了。气球很快就做好了，并且吹足了气。"我一个人无法驾御它，我需要跳蚤来帮忙。"教授说。

公主虽然不太愿意，但还是把跳蚤交给了教授。教授解开绳子，气球立刻带着他们升向了空中。教授就这样离开了野人国，而且还得到了一个气球。

豌豆公主

从前有一位王子，他想找一位真正的公主做妻子，可是他走遍了全世界，也没有找到意中人。那些公主总有些地方不大对劲，使他不得不怀疑她们是不是真正的公主。王子闷闷不乐地回到家中，国王和王后都很替他担忧。

有一天晚上，忽然起了一阵可怕的暴风，随后电闪雷

鸣，大雨倾盆。就在这样可怕的夜晚，国王一家听到有人在敲城门。老国王赶紧过去打开城门。城门口站着一位姑娘，她的衣服全湿透了，长发散乱地贴在脸上。这样子真难看！可她说她是一位真正的公主。

谁会相信她的话呢？大家都议论纷纷。

不过老皇后什么也没说，决定验证一下。她走进卧室，在床板上放了一粒小小的豌豆。然后，她让仆人在豌豆上压了二十床垫子；接着，又在这些床垫子上放了二十床鸭绒被。最后，她把那位姑娘领进了卧室，让她在这些垫子和鸭绒被子上好好儿睡上一觉。

第二天早晨，大家都过来问姑娘休息得怎么样。姑娘皱着眉头，打着哈欠说："我几乎整夜没有合眼，天晓得床上有个什么东西？有一粒很硬的东西硌着我，弄得我全身发青发紫。这真可怕！"

现在大家看出来了，她是一位真正的公主，因为压在二十床垫子和二十床鸭绒被下面的一粒豌豆，她居然能感觉得出来。除了真正的公主以外，任何人都不会有这么嫩的皮肤的。

于是，王子高兴地和这位公主结婚了。

顽皮的孩子

yǒu yì tiān wǎn shang　wài miàn
有一天晚上，外面

xià zhe qīng pén dà yǔ　yí wèi shàn
下着倾盆大雨，一位善

liáng de lǎo shī rén zhèng zuò zài wēn nuǎn
良的老诗人正坐在温暖

de huǒ lú páng kǎo zhe píng guǒ　zhè
的火炉旁烤着苹果。这

shí　mén wài chuán lái yí gè xiǎo hái
时，门外传来一个小孩

zi de jiào shēng　qǐng kāi mén
子的叫声："请开门！

我非常冷！"

老诗人打开门，看到门口站着一个小小的孩子。他手里拿着一把漂亮的弓，样子像一个小天使，不过这个孩子冻得脸色惨白，全身发抖。

"你这个可怜的小家伙！"老诗人说，"快到屋里来吧，你可以烤烤火，再吃一个苹果。"

老诗人把这小孩抱到火炉边烤起火来。小孩的双颊很快就变得红润起来了。

"你叫什么名字？"老诗人问。

"我是小爱神丘比特，"小孩说，"你不认识我吗？我的弓就在这儿。嗯，让我来试一试它是不是被淋坏了！"

他说着就插上一支箭，把弓一拉，向这位和善的老诗人的心中射去。

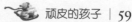

顽皮的孩子 | 59

老诗人躺在地上，哭了起来。他说："这个丘比特真是一个顽皮的孩子！我要把这件事告诉所有的好孩子，叫他们不要跟他一起玩耍，因为他会跟他们捣蛋！"

所有的好孩子听到老诗人讲的这个故事，都对这个顽皮的孩子有了戒心，然而他还是骗过了他们。他老是跟在他们后面，偷偷地朝他们的心射箭。他还曾经射中了你爸爸妈妈的心，不信你问问他们，说不定还会听到一段故事呢。

完全是真的

农场里有一只母鸡，她的羽毛很白，腿
很短。她没事的时候，总会用嘴啄自己几
下，这时就会有一根小羽毛落下来。

一天傍晚，太阳下山了，所有的母鸡都
飞上了栖木。这只母鸡飞到栖木上的时候，
用嘴啄了自己几下，弄落了
一根小羽毛。

"我啄自己啄得越
厉害，我就越漂亮！"

她这么自言自语，然后心
满意足地睡着了。

附近的一只母鸡刚好没睡着，她听见了
那只白羽毛母鸡的话。

她把她所听到的话告诉了自己的另一
个邻居："你听到了吗？有一只母鸡为了要
好看，就啄掉自己的羽毛。假如我是一只公
鸡，我会瞧不起她。"

在这些母鸡的上面住着猫头鹰一家。

他们的耳朵很尖，听见了那只母鸡的话。

猫头鹰妈妈拍拍翅膀说：

"你们都听到刚才的话了吧？有一只母鸡把她的羽毛都啄掉了，好让公鸡把她看个仔细。"

猫头鹰爸爸对她说："这不是孩子们可以听的话。"

"那好，我把这件事告诉对面的猫头鹰去！他是一个很正派的猫头鹰，值得来往！"说着，猫头鹰妈妈就飞走了。

猫头鹰妈妈把这件事告诉对面的猫头鹰的时候，他们的谈话被下边笼子里的鸽子听见了。

一只鸽子"咕咕咕"地叫了起来："你们听到了吧，有一只母鸡为了讨好公鸡，把自

己的羽毛都啄掉了！

她一定会冻死的——

即使现在还没有死。"

"在什么地方？在什么地

方？"其他鸽子"咕咕咕"地叫着。

"在对面的那个屋子里！我可是亲眼看

见的。把它讲出来真不应该，不过那完全是

真的！"

于是，所有的鸽子都向下边的养鸡场

"咕咕咕"地叫："有两只母鸡把所有的羽毛

都啄掉了，为的是要引起公鸡的注意。这是

一种冒险的行为，因为这样她们就容易得

伤风，结果一定会发高烧死掉。她们两位

现在都死了。"

公鸡听到后，大叫着向围墙上飞去。

他一边飞一边喊："三只母鸡为了赢得一只

公鸡的爱，把自己的羽毛啄得精光，结果都
死掉了！这是一件很不光彩的事情，让大家
都知道它吧！"

"让大家都知道它吧！"蝙蝠也跟着叫
起来。这时，养鸡场里的很多居民都被吵醒
了，他们也跟着大叫："让大家都知道它吧！
让大家都知道它吧！"

这个故事从这个鸡窝传到那个鸡窝，最
后回到最初传出的那个地方。

不过，故事已经变成：
"五只母鸡把她们的羽毛
都啄得精光，为的是要比
试谁因失恋而变得最消瘦。
后来，她们啄得流出了血，结
果大家全死掉了。这使得她们

的家庭蒙受耻辱，也使得她们的主人遭受了极大的损失。"

那只掉落一根羽毛的母鸡当然不知道这个故事就是她自己的故事，她也评论说："我瞧不起那些母鸡，不过像她们那样的人有的是！我们不应该把这类事掩藏起来。我要尽我的力量让这件事在报纸上发表，让全国都知道。"

这件事最终在报纸上被刊登出来了。这完全是真的：一根小小的羽毛变成了五只母鸡。

蜗牛和玫瑰树

在一株开着花的玫瑰树下住着一只蜗牛。

"等着瞧吧!"蜗牛说,"我要开好几次花,结好多果子,或者像牛和羊一样,产出一点儿奶。"

"你要给我瞧的东西倒是不少,"玫瑰树说,"但你的话什么时候能够兑现呢?"

"我心里自然有数,你不要那么急。"蜗牛说。

到了第二年，

蜗牛仍然躺在玫

瑰树下面的太阳

地里，而玫瑰树又开出了美丽的花朵。

蜗牛伸出一半身子，探出他的触角，

接着又把触角缩了回去。

"什么东西看来都和去年一样，没有

什么进步！玫瑰树还在开他的玫瑰花，再

没有什么新招了！"蜗牛说。

就这样过去了一年又一年，一切都没

有发生丝毫改变。

"你只能拿出这么点儿东西吗？"

有一年，蜗牛对玫瑰树说，"你没有对

你个人的发展做过任何努力，不然你

倒很可能会产生出一点别的

像样的东西呢。"

“我只能拿出玫瑰花来。可是你……你拿出什么东西给这世界了呢？”玫瑰树问。

“我干吗要拿出什么东西？世界和我没有什么关系？”蜗牛说完，又缩进他的屋子里去了。

“尽管我只能开出玫瑰花，但是它们有的被夹在圣诗集里，有的藏在美丽女孩的怀里，有的被孩子们拿去用嘴唇吻，这就是我要的幸福。”玫瑰树说。

于是玫瑰树每年都开花，而那只蜗牛则懒散地待在他的屋子里，世界和他没有什么关系。

小杜克

xiǎo dù kè yì biān zhào liào mèi mei yì biān wēn xí zhe dì lǐ
小杜克一边照料妹妹，一边温习着地理

gōng kè yīn wèi zài míng tiān kǎo shì zhī qián tā bì xū jì zhù xī
功课。因为在明天考试之前，他必须记住西

lán dì qū dān mài dōng bù de qún dǎo de suǒ yǒu chéng zhèn
兰地区（丹麦东部的群岛）的所有城镇。

bàng wǎn de shí hou mā
傍晚的时候，妈

ma huí lái le tā bǎ xiǎo mèi
妈回来了，她把小妹

mei bào le qǐ lái xiǎo dù
妹抱了起来。小杜

kè lì kè pǎo dào chuāng zi nàr
克立刻跑到窗子那

pīn mìng de kàn shū yīn
儿，拼命地看书，因

wèi tiān yǐ jīng màn màn hēi xià lái le ér
为天已经慢慢黑下来了，而

jiā li yòu méi yǒu qián mǎi là zhú
家里又没有钱买蜡烛。

nà gè xǐ yī de lǎo tài tai zài jiē shang zǒu guò lái le
"那个洗衣的老太太在街上走过来了，"

zhèng wàng zhe chuāng wài de mā ma shuō   tā lián lù dōu zǒu bú dòng
正望着窗外的妈妈说，"她连路都走不动，

hái yào līn zhe yì tǒng shuǐ dù kè kuài guò qù bāng zhù zhè gè lǎo
还要拎着一桶水。杜克，快过去帮助这个老

tài tai yí xià
太太一下！"

xiǎo dù kè lì kè pǎo chū qù bāng lǎo tài tai līn shuǐ dāng
小杜克立刻跑出去帮老太太拎水。当

tā huí dào wū li de shí hou tiān yǐ jīng hěn hēi le tā wú fǎ
他回到屋里的时候，天已经很黑了。他无法

zài wēn xí gōng kè zhǐ dé pá dào chuáng shang qù shuì jiào tā bǎ
再温习功课，只得爬到床上去睡觉。他把

dì lǐ kè běn fàng zài le zhěn tóu dǐ xià yīn wèi tā tīng shuō zhè yàng
地理课本放在了枕头底下，因为他听说这样

kě yǐ bāng zhù rén jì
可以帮助人记

zhù kè wén
住课文。

xiǎo dù kè tǎng
小杜克躺

zài chuáng shang tóu nǎo
在床上，头脑

li mí mí hú hú de
里迷迷糊糊的。

tū rán zhěn tóu xià de nà
突然，枕头下的那

běn shū xī xī sū
本书窸窸窣

窣地动起来了。

"咕！咕！咕！"一只老母鸡跑出来了。

"我是一只却格镇的母鸡。"它说。老母鸡告诉小杜克，那个小镇有多少居民，那儿曾经发生过什么事情。过了一会儿，小杜克骑上马，来到古老的伏尔丁堡——这是一个非常热闹的大城市。他从那儿了解到许多有趣的事情。接着，他又遇到一位从柯苏尔市来的人。这个人告诉小杜克，柯苏尔是一个活跃的、有汽船和邮车的城市，它每天都在发生巨大的变化。就像翻书一样，这个人很快就不见了，现在出现在小杜克面前的是一个年老的农家妇人。她来自苏洛镇——一个产生

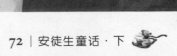

^{guò wěi dà jù zuò jiā de dì}
过伟大剧作家的地

^{fang　　xiǎo dù kè jiù zhè yàng qù le}
方……小杜克就这样去了

^{xǔ duō dì fang　yù dào le xǔ duō rén　tā men dōu xiàng tā jiè shào}
许多地方，遇到了许多人，他们都向他介绍

^{zì jǐ jiā xiāng de qíng kuàng}
自己家乡的情况。

^{dì èr tiān zǎo chen　xiǎo dù kè xǐng lái le　tā ná qǐ kè}
　　第二天早晨，小杜克醒来了。他拿起课

^{běn lái dú　shén qí de shì　tā lì kè jiù dǒng dé quán bù de nèi}
本来读，神奇的是，他立刻就懂得全部的内

^{róng le}
容了。

^{nà gè xǐ yī de lǎo tài tai bǎ tóu shēn jìn mén lái shuō}
　　那个洗衣的老太太把头伸进门来说：

^{hǎo hái zi　xiè xie nǐ zuó tiān de bāng máng　yuàn shàng dì shǐ nǐ}
"好孩子，谢谢你昨天的帮忙！愿上帝使你

^{měi lì de mèng biàn chéng shì shí}
美丽的梦变成事实！"

^{xiǎo dù kè wán quán bù zhī dào zì jǐ zuò le yì chǎng shén me}
　　小杜克完全不知道自己做了一场什么

^{mèng　bú guò shàng dì zhī dào}
梦，不过上帝知道！

小鬼和小商人

从前有一个很穷的学生，住在一栋楼房的顶楼上。楼房的主人是一个小商人，他住在一楼，一个小鬼跟他住在一起。每当圣诞节前夕，小商人总给小鬼一盘麦片粥吃。

有一天晚上，学生来小商人这儿买干奶酪，他注意到用来包裹干奶酪的纸。

这是从一本旧诗集上撕下的。

"你只要给我三个铜板，就可以把剩下的全部拿去。"小商人说。"好的，非常感谢！"学生说，"你是一个能干的人，不过就诗说来，你不会比一个盆子懂得更多。"

这虽然是句玩笑话，但小鬼却生气了：居然有人敢对自己喜欢的人说出这样的话。

夜里，他悄悄地走上顶楼，想去告诉学生不该那样对小商人说话。

学生的房里露出光亮，小鬼从门锁孔里朝里看去，他瞧见了意想不到的一幕：那位学生正在读那本诗集。诗集里冒出一根亮晶晶的光柱，慢慢发芽、变粗，逐渐变成了一株美丽的大树。

"这真是美丽极了！"小鬼说，"我倒很想跟这学生住在一起哩。"但接着他又叹了

一口气：“可是他没有粥给我吃！”

小鬼又回到小商人那里。

但是他再也忘不掉学生读诗集时所发生的一切了。

很多天后的一个晚上，小商人住的那条街突然发生了火灾，大家陷入一片恐慌之中。每个人都想救出自己最好的东西，小鬼也不例外。他快步跑到学生的房间，抓起那本诗集就往楼下跑。现在他知道自己的心真正向着谁了。

没过多久，火就被扑灭了，小鬼也逐渐冷静了下来。这时，他又说道：“嗨！我得把我分给两个人。为了那碗粥，我不能舍弃那个小商人！”

小克劳斯和大克劳斯

cóng qián cūn zi li zhù zhe liǎng gè jiào kè láo sī de rén
从前，村子里住着两个叫克劳斯的人。

yí gè yōng yǒu sì pǐ mǎ jiào dà kè láo sī lìng yí gè yǒu yì
一个拥有四匹马，叫大克劳斯；另一个有一

pǐ mǎ jiào xiǎo kè láo sī
匹马，叫小克劳斯。

yǒu yí cì xiǎo kè láo sī bǎ dà kè
有一次，小克劳斯把大克

劳斯的四匹马借来运东西。他对着这四匹马和自己的那匹马喊道："我的五匹马哟！使劲儿呀！"

大克劳斯听了很生气，心想："竟然把我的马说成你的马，现在我让你一匹马也没有！"他拿起拴马桩就把小克劳斯的马砸死了。

小克劳斯伤心极了。他剥下马皮，把它装进一个袋子，然后背着袋子朝城里走去。他打算把马皮带到城里卖掉。

天快黑时，小克劳斯来到了一个农庄。

"让我在这里住一夜吧！"他请求一个农妇说。但是农妇拒绝了。

找不到住处，小克劳斯只好在农妇家屋子旁的小茅屋顶上住了下来。透过窗子，

他看到农妇屋里的桌子上摆着酒、烤肉和鱼等美食。

农妇正和一个牧师坐在桌子旁吃饭。

就在这时，农夫回来了。农妇非常害怕，赶紧让牧师钻进墙角边的一个大空箱子里，然后又把美味的酒菜藏进灶里。

"谁在那里？"农夫看到茅屋顶上的小克劳斯，问，"你为什么待在那儿？"

小克劳斯说自己迷了路，并请求农夫留他过夜。

"当然可以，"农夫说，"下来吃点东西吧！"

农妇盛了一大碗稀粥给他们吃。小克劳斯不禁想起了藏在灶里的那些美食。于是，他把那个装着马皮的袋子放在脚下踩，踩得那张马皮发出叽叽嘎嘎的声音来。

"你袋子里装着什么东西？"农夫问。

"是一个魔法师，他说我们不必再吃这些稀粥了，他已经在灶里变出烤肉、鱼和美酒来了。"

农夫打开锅灶，果然发现了好酒好菜。于是，他们美美地吃了一顿！酒足饭饱之后，农夫问："他能变出魔鬼吗？"

<ruby>小<rt>xiǎo</rt></ruby><ruby>克<rt>kè</rt></ruby><ruby>劳<rt>láo</rt></ruby><ruby>斯<rt>sī</rt></ruby>

小克劳斯

回答：“可以啊。不过，魔鬼

跟牧师一模一样。你去把墙角的那只

箱子掀开，就可以看到他了。”

农夫半信半疑地打开那只箱子。“啊！”

他大喊起来，“我看到他了。他和我们的牧

师确实长得一模一样！”

过了一会儿，农夫说：“我给你一大斗

钱，你把这个魔法师卖给我吧！”小克劳斯

假装犹豫了很久，最后说：“看在你留我过

夜的分上，我就成全你吧！”

第二天，小克劳斯拿着满满一斗钱回家了。大克劳斯听说小克劳斯用马皮卖了一斗钱，就把自己的四匹马全都砍死了。然后，他剥下马皮，也拿到城里去卖。

"卖马皮哟！每张一斗钱！"他大声叫卖道。

"他简直是在拿我们开玩笑。"人们打了他一顿，把他赶出了城。

大克劳斯气坏了。当天夜里，他拿着斧头冲进小克劳斯家，对着躺在床上的人猛砍了一下，然后气愤地走了。

其实床上躺着的不是小克劳斯，而是他刚刚死去的祖母。小克劳斯坐在墙角目睹了这一切，心

想：“这家伙太狠毒了。”

第二天，小克劳斯把祖母端放在马车后座上，然后赶车来到了一个旅店门口。他对店老板说：“好心的老板，你能不能给我祖母一杯蜜酒喝？”

“当然可以。”店老板说着，端起一大杯蜜酒来到了死去的祖母身边。

“请喝吧！”店老板说。可是他接连说了好几次，老祖母连动都没有动一下。最后，店老板发怒了，把酒杯朝祖母脸上使劲儿扔去。祖母立刻倒下了。

店老板吓坏了，赶紧对小克劳斯说："我给你一斗钱，再把她安葬了，你就不要告发我吧！"

于是，小克劳斯又拿着一斗钱回家了。

大克劳斯见小克劳斯不但没死，手里还拿着一斗钱，很惊讶。小克劳斯说这些钱是用死去的祖母换来的。

大克劳斯听后，也跑回家把自己的祖母

^{kǎn sǐ le} 砍死了。^{kě shì tā bú dàn méi mài dào qián hái chà diǎn bèi rén}可是他不但没卖到钱，还差点被人^{zhuā jìn jiān yù}抓进监狱。

^{zhè yí cì dà kè láo sī qì de fā kuáng le tā zhí bèn}这一次，大克劳斯气得发狂了。他直奔^{xiǎo kè láo sī jiā bǎ xiǎo kè láo sī sāi jìn le yí gè dà kǒu}小克劳斯家，把小克劳斯塞进了一个大口^{dai zuǐ li hái jiào hǎn zhe wǒ yào bǎ nǐ huó huó yān sǐ}袋，嘴里还叫喊着："我要把你活活淹死！"

^{zài qù hé biān de shí hou lù guò yí gè jiào táng dà kè}在去河边的时候，路过一个教堂，大克^{láo sī tū rán xiǎng qù tīng yì tīng shèng shī yú shì tā fàng xià kǒu}劳斯突然想去听一听圣诗。于是，他放下口^{dai zǒu jìn le jiào táng}袋，走进了教堂。

^{ài xiǎo kè láo sī tàn le yì kǒu qì}"唉！"小克劳斯叹了一口气，^{wǒ hái zhè me nián qīng què yào jìn tiān guó le}"我还这么年轻，却要进天国了！"

^{yí gè fàng yáng de lǎo}一个放羊的老^{rén zhèng hǎo cóng páng biān lù}人正好从旁边路^{guò tā tīng dào le xiǎo kè}过。他听到了小克

劳斯的话，也叹息道："唉！我已经这么老了，却还进不了天国！"

"那么你替我钻进袋子吧，这样你马上就可以进天国了。"

老人一听，高兴地放出了小克劳斯，然后自己钻进了袋子。

大克劳斯从教堂出来后，立刻把口袋扔进了河里。可是，他回到村子后，却看到小克劳斯正赶着一大群羊朝家里走。

"你怎么还活着？你又是从什么地方得到这些羊的？"他问。

"我在水里遇到了河神，这群羊是他给我的。"

大克劳斯一听，赶忙找了个口袋钻进去，并让小克劳斯把他扔进水里。

于是，小克劳斯用绳子把口袋系紧，把它背到河边，然后往水里一推。"哗啦！"大克劳斯马上就沉到了河底。

小意达的花

huā zuó tiān wǎn shang hái nà me měi lì　kě xiàn zài tā men
"花昨天晚上还那么美丽，可现在它们

de yè zi dōu chuí xià lái le　　wèi shén me huā jīn tiān xiǎn de zhè
的叶子都垂下来了。为什么花今天显得这

yàng méi yǒu jīng shen ne　　xiǎo yì dá shǒu li ná zhe yì bǎ yù jīn
样没有精神呢？"小意达手里拿着一把郁金

xiāng　wèn yí gè zuò zài shā fā shang de zhōng xué shēng
香，问一个坐在沙发上的中学生。

zhè xiē huā zuó yè
"这些花昨夜

yí dìng cān jiā wǔ huì qù
一定参加舞会去

le yīn cǐ jīn tiān cái huì méi
了，因此今天才会没

jīng dǎ cǎi de kàn shàng qù
精打采的。"看上去

hěn yǒu xué wen de zhōng xué shēng
很有学问的中学生

huí dá
回答。

huā yě huì tiào wǔ ma xiǎo yì dá wèn
"花也会跳舞吗？"小意达问。

huì a zhōng xué shēng shuō děng wǒ men dōu shuì zháo yǐ
"会啊，"中学生说，"等我们都睡着以

hòu huā jiù huì zài yì qǐ tiào wǔ
后，花就会在一起跳舞。"

zhè zhēn yǒu yì si xiǎo yì dá pāi zhe shǒu shuō zěn
"这真有意思！"小意达拍着手说，"怎

me cái néng kàn dào huā tiào wǔ ne
么才能看到花跳舞呢？"

rú guǒ nǐ xiǎng kàn de huà zhōng xué shēng shuō bàn yè
"如果你想看的话，"中学生说，"半夜

de shí hou nǐ tōu tōu de cóng mén fèng wǎng huā dāi zhe de dì fang
的时候，你偷偷地从门缝往花待着的地方

kàn jiù xíng le
看就行了。"

xiǎo yì dá tīng zhōng xué shēng jiǎng le hǎo duō guān yú huā tiào wǔ
小意达听中学生讲了好多关于花跳舞

de shì xiàn zài tā yǐ jīng xiāng xìn huā shì yīn wèi tiào wǔ cái pí
的事。现在，她已经相信花是因为跳舞才疲

倦的了，所以她决定让花好好儿休息一下。

小意达看见她的洋娃娃苏菲亚正在玩具小床上睡觉，就对它说："苏菲亚，今晚你睡在抽屉里，把床让给花睡好吗？花好可怜，都累病了！"

小意达把苏菲亚从小床上拿起来，然后把郁金香放到小床上，并对它们说："好好儿睡吧，明天一早就会好起来的。"

这一整天小意达老是想着花跳舞的事情。她对着花盆里的风信子和番红花说："我知道你们今晚要去参加一个舞会。"可是风信子和番红花却一动不动，没有回话。小意达盯着它们看了好一会儿，它们还是一点儿举动也没有。

半夜的时候，小意达在睡梦中迷迷糊糊地听到隔壁房间里有人在弹钢琴。

"现在花一定在那儿跳舞了！"小意达跳下床，悄悄地走向隔壁的房间。

她从门缝偷偷往里看，啊，屋里的景象多么有趣啊：各种各样的花在

地板上跳着舞。它们手拉手，一会儿围成一个圆圈，一会儿又排成一行。一朵高大的百合花坐在凳子上，正优雅地弹着钢琴。

花儿们越跳越高兴，连在床上睡觉的郁金香也加入了舞会。此外，桌子上的玩具、被关在抽屉里的苏菲亚也都醒了，它们和着钢琴的节奏，不停地摇摆着身体。直到舞会结束，小意达才回到床上。

第二天一大早，小意达就来到隔壁的房间，想看看郁金香

zěn me yàng le   zhǐ jiàn yù jīn xiāng
怎么样了。只见郁金香

gèng jiā kū wěi le   xiǎo yì dá zhǎo chū yí gè
更加枯萎了。小意达找出一个

yìn zhe piào liang tú àn de hé zi   bǎ tā men zhuāng zài le lǐ miàn
印着漂亮图案的盒子，把它们装在了里面。

zhè jiù shì nǐ men de guān cai   tā shuō   děng wǒ de
"这就是你们的棺材！"她说，"等我的

liǎng wèi biǎo xiōng dì lái de shí hou   tā men huì bāng wǒ bǎ nǐ men zàng
两位表兄弟来的时候，他们会帮我把你们葬

zài huā yuán li   hǎo ràng nǐ men zài lái nián xià tiān zài zhǎng chū lái
在花园里，好让你们在来年夏天再长出来，

chéng wéi gèng měi lì de huā duǒ   tiào gèng hǎo kàn de wǔ dǎo
成为更美丽的花朵，跳更好看的舞蹈。"

xiǎo yì dá de liǎng wèi biǎo xiōng dì lái hòu   xiǎo yì dá bǎ huā
小意达的两位表兄弟来后，小意达把花

tiào wǔ de shì qing jiǎng gěi tā men tīng   nán hái men bāng zhù xiǎo yì
跳舞的事情讲给他们听。男孩们帮助小意

dá bǎ huā de mù wā hǎo   bìng wèi huā jǔ xíng le zàng lǐ
达把花的墓挖好，并为花举行了葬礼。

幸运可能就在一根枝子上

cóng qián yǒu yí gè fēi cháng pín kùn de xuàn gōng　tā tè bié
从前有一个非常贫困的旋工，他特别

huì xuàn sǎn gān hé sǎn bà　kě shì què hèn nán kào tā lái yǎng jiā hú
会旋伞杆和伞把，可是却很难靠它来养家糊

kǒu　　wǒ cóng lái méi yǒu jiāo guò hǎo yùn　　tā shuō dào
口。"我从来没有交过好运！"他说道。

tā jiā de yuán zi li yǒu yì kē lí shù
他家的园子里有一棵梨树。

yì tiān wǎn shang　guā qǐ le kě pà de fēng
一天晚上，刮起了可怕的风

bào　　lí shù de yì gēn cū zhī bèi guā duàn
暴，梨树的一根粗枝被刮断

le　　zhè gè nán rén wèi le hǎo wánr
了。这个男人为了好玩儿，

jiù yòng zhī zi xuàn le hǎo duō mù lí
就用枝子旋了好多木梨，

rán hòu bǎ zhè xiē mù lí ná gěi hái zi
然后把这些木梨拿给孩子

men qù wán　　zài yí gè duō yǔ de guó dù li　　sǎn shì bì xū
们去玩。在一个多雨的国度里，伞是必需

de　zhè gè nán rén jiā li yǒu yì bǎ dà sǎn　lìng tā fán nǎo de
的。这个男人家里有一把大伞，令他烦恼的

shì　zài sǎn shōu lǒng de shí hou　　jì sǎn de nà kē kòu zi zǒng shì
是，在伞收拢的时候，系伞的那颗扣子总是

diào xià lái　　yǒu yì tiān　　kòu zi yòu diào le　nán rén zài dì shang
掉下来。有一天，扣子又掉了，男人在地上

zhǎo　kòu zi méi zhǎo zháo　　què zhǎo dào le　yí gè xiǎo mù lí
找，扣子没找着，却找到了一个小木梨。

　　　　　bù rú shì shi zhè gè xiǎo wán yìr　　　nán rén xiǎng　　yú
　"不如试试这个小玩意儿。"男人想。于

shì　tā zài mù lí shang zuān le　yí gè yǎn　chuān shàng　yì gēn xiàn
是，他在木梨上钻了一个眼，穿上一根线，

yòng tā qù jì sǎn　méi xiǎng dào　　nà zhī xiǎo mù lí jìng rán bǎ nà
用它去系伞。没想到，那只小木梨竟然把那

个掉了扣子的伞箍得很牢。

第二年，这人去首都送伞把。交货的时候，他送了几个旋好的小木梨给伞商。这些伞把和小木梨被运到美国。那儿的人很快发现小木梨比任何扣子都箍得牢，于是他们要求伞商以后制作伞时都用小木梨箍住。

这下子有事干了，需要旋几千只木梨！

于是这个人赚来了铜钱，又赚来了银币。

"幸运可能就在一根枝子上！"他现在逢人就说。

雪人

bàng wǎn de shí hou zài yì qún nán hái de huān xiào shēng zhōng
傍晚的时候，在一群男孩的欢笑声中，

yí gè xuě rén dàn shēng le xuě rén gāng gāng chū shēng shén me dōu bù
一个雪人诞生了。雪人刚刚出生，什么都不

dǒng xìng hǎo yǒu yí gè kān mén gǒu hé tā zuò bàn bāng zhù tā rèn
懂，幸好有一个看门狗和他做伴，帮助他认

shi zhè gè shì jiè
识这个世界。

tài yáng luò xià qù le mǎn yuè shēng le shàng lái yòu yuán yòu dà
太阳落下去了，满月升了上来，又圆又大。

tā cóng lìng wài yì biān lái le xuě rén shuō dào tā yǐ
"她从另外一边来了。"雪人说道，他以

wéi tài yáng chóng xīn lù miàn le
为太阳重新露面了。

nǐ shén me yě bù dǒng kān mén gǒu
"你什么也不懂，"看门狗

shuō dào bú guò yě nán guài nǐ shì
说道，"不过也难怪，你是

刚刚才堆起来的！你现在看见的那是月亮，刚才落下去的是太阳，她明天早晨会回来的。"

"我不明白他的意思，"雪人心想，"不过我感觉他说的是些不那么妙的事儿。那个叫做太阳的东西，她可能不是我的朋友。"

第二天早晨，下了一场浓霜。太阳出来了，树叶在闪闪发光，整个世界就像是一大片白珊瑚林。

"多美的雪景啊！"一个年轻的姑娘说道。她和一个年轻的男子走进花园，恰好停在了雪人的身边。

"哦，这儿还有一个可爱的雪人。亲爱的，咱们就在这儿跳舞吧！"于是，他们笑着在雪地里跳起舞来。

"这两个人是谁？"雪人问看门狗。

"他们是我的主人，住在有火炉的屋子里。"看门狗回答。

"火炉是什么样子的？她长得像我吗？"雪人问。

"和你完全相反。她长得像黑炭一样，有一个黄铜大肚皮。她吃的是木柴，所以火便从她的嘴里冒出来。如果靠近她，就会感觉特别舒服。从你现在站的位置，刚好可以透过窗子看到她。"

雪人往屋里瞧了瞧，果然看见一个有着黄铜肚皮的黑东西，火正在她的肚子里熊熊燃烧着。

雪人的心里产生出一种说不出来的情感，他情不自禁地说："我真想在她身边偎一偎，这是我一生唯一的愿望。"

雪人整天望着屋子里的火炉。看到火焰从火炉的嘴里冒出来，他说道："这真叫人吃不消，她的舌头多美啊！"

一天清晨，窗子上出现了一层美丽的冰花，它们把雪人的视线挡住了。这是雪人最喜

欢的寒冷的天气，可是他却高兴不起来。他
患上了对火炉的相思病。

日子一天一天过去。天气变暖了，雪人
开始融化了。他没有丝毫的抱怨，这说明
他的相思病已经相当严重了！

一天早晨，雪人忽然坍塌了。在他
站过的地方，有一根木棍直直地插在地
上，孩子们就是围着它把雪人堆起来的。

"现在我知道他为什么爱上火炉
了，"看门狗说，"原来他的身体里有
一根扒火棍！"

养猪的王子

有一位王子看上了皇帝的女儿，于是决定向这位公主求婚。他送给公主一朵玫瑰花和一只夜莺。但公主一点儿也看不上这些礼物。

王子并没有灰心，很快就想到了一个好主意。他把脸涂成棕黑色，穿上破烂的衣服，来到皇宫，做了皇家的猪倌。

这天晚上，他做了一口精致的小锅。锅边上挂着许多铃铛。当锅煮开的时候，这些铃铛就奏出一支和谐的老调："啊，我亲爱的奥古斯丁，一切都完了，完了！"

公主刚好和她的侍女从这儿经过。她听到了这个调子，非常高兴，因为她也会唱这个调子。于是，她叫侍女过去问这个乐器的价钱。

"我只要公主给我十个吻就够了。"猪倌说。

"他太没有礼貌啦！"公主说完便走开了。

没走多远，铃声又响了起来。公主禁不住诱惑，只得回去用十个吻换了那口锅。

几天后，王子又做了一个神奇的玩具。只要把它旋转几下，就能奏出各种动听的舞曲。

"好听极了！"公主从旁边走过的时候

说，"过去问问他这个乐器值多少钱。"

"他要求公主给他一百个吻。"侍女问

后说。

"我想他是疯了！"公主走开了。不过

她很快又回来了——她又答应了猪倌的要求。

"一大堆人围着猪圈在干什么呢？"皇

帝看见一群侍女围在猪圈里，就好奇地走了

过去。

"这是怎么一回事呀？"皇帝见公主和猪倌正在接吻，一气之下，把他们都赶出了皇宫。

公主哭了起来："唉！我要是答应那个可爱的王子就好了！"猪倌走到一棵大树后面，擦掉脸上的颜色，脱掉身上破烂的衣服，换上王子的衣服，走了出来。"我现在有点瞧不起你了，"他说，"一个诚实的王子你不愿意要，但是为了一个玩具，你却愿意和一个猪倌接吻。现在你总算得到报应了。"

后来，王子回到他的王国，把公主关在了门外。现在她只有站在外边唱："啊，我亲爱的奥古斯丁，一切都完了，完了！"

野天鹅

zài yáo yuǎn de dì fang yǒu gè guó wáng tā yǒu shí yī gè wáng
在遥远的地方有个国王，他有十一个王

zǐ hé yí gè gōng zhǔ ài lì shā tā men zài yì qǐ guò zhe kuài
子和一个公主艾丽莎。他们在一起过着快

lè de shēng huó
乐的生活。

hòu lái wáng hòu sǐ le
后来，王后死了，

guó wáng yòu qǔ le yí gè qī zi
国王又娶了一个妻子。

è dú de xīn wáng hòu bǎ ài lì shā
恶毒的新王后把艾丽莎

sòng dào le xiāng xià yòu yòng mó fǎ
送到了乡下，又用魔法

bǎ shí yī gè wáng zǐ biàn chéng le
把十一个王子变成了

shí yī zhī yě tiān é
十一只野天鹅。

日子一天一天地过去，转眼间艾丽莎十五岁了，已经出落成一位美丽的姑娘。她回到了王宫。恶王后见艾丽莎那么美丽，十分嫉妒。于是，她把艾丽莎的全身擦上核桃汁，又把艾丽莎漂亮的头发揪成乱糟糟的一团。

当国王看到艾丽莎的时候，大吃一惊，说："你不是我的女儿！丑八怪，快滚！"

可怜的艾丽莎哭着离开了王宫，她知道十一个哥哥也被赶出

了王宫，便决定去找他们。她走啊走啊，一直走到一个很大的湖前。她用湖水洗了一下小脸，雪白的皮肤立刻显露了出来。啊，世界上再也没有比她更美丽的公主了！

她继续向前走，路上遇到了一位老婆婆，便问："您见到过十一个王子吗？"

"没有，"老婆婆回答，"不过，昨天我看到过十一只戴着金冠的野天鹅，它们顺着小河向大海游去了。"

艾丽莎觉得那些野天鹅很可能就是自己的哥哥，就去大海边找它们。当太阳快要落山的时候，艾丽莎来到了美丽的大海前。

zhè shí shí yī zhī dài zhe jīn guān de yě tiān é fēi le guò lái
这时，十一只戴着金冠的野天鹅飞了过来。

yí luò dì tā men jiù biàn chéng le shí yī wèi měi mào de wáng zǐ
一落地，它们就变成了十一位美貌的王子。

gē ge ài lì shā kū zhe pū dào le tā men de huái
"哥哥！"艾丽莎哭着扑到了他们的怀

li gē ge men yě rèn chū le mèi mei ài lì shā jǐn jǐn de yōng
里。哥哥们也认出了妹妹艾丽莎，紧紧地拥

bào le tā
抱了她。

zuì dà de wáng zǐ shuō bái tiān wǒ men huì biàn chéng yě
最大的王子说："白天，我们会变成野

tiān é dāng tài yáng luò shān hòu wǒ men cái huì biàn huí rén míng
天鹅；当太阳落山后，我们才会变回人。明

tiān wǒ men jiù yào fēi xiàng yáo yuǎn de dà hǎi duì àn nǐ yuàn
天，我们就要飞向遥远的大海对岸。你愿

yì hé wǒ men yì qǐ zǒu ma
意和我们一起走吗？"

"我愿意！"艾丽莎说。于是，他们连夜用芦苇编了一张结实的网。当太阳升起的时候，变成天鹅的王子们就用嘴衔起装着艾丽莎的网，高高地向云层里飞去。

他们来到大海对岸的国度，住在了一个山洞里。一天晚上，艾丽莎梦到了一位仙女。仙女对她说："用生长在墓地里的荨麻织成披甲，披到十一只野天鹅身上，魔法就会解除！不过要记住，在魔法解除前，你不能说一句话，不然，他们就没命啦！"

艾丽莎醒来后，发现身边躺着一捆荨麻，就立刻编织起来。她那柔嫩的手一碰到荨麻，立刻就像火烧一样。不过，为了解救亲爱的哥哥，她甘愿忍受这些痛苦。

她整夜工作，织完一件披甲后，又马上开始织第二件。就这样过去了很多天。

一天，艾丽莎住的山洞外突然来了一群打猎的人，其中有一位是这个国家的国王。国王一看到艾丽莎就爱上了她，还把她带回了王宫。

王宫富丽堂皇，宫女们给艾丽莎穿上了华丽的服装，为她戴上了精致的手套。艾丽莎站在那儿，美丽得耀眼。

国王高兴极了，把艾丽莎选为自己的新娘。可是大主教却摇着头说："她是个巫婆，她迷住了大家的心。"但国王丝毫不理大主教的这一套。他叫宫女们围着艾丽莎跳舞，还领着艾丽莎走进芬芳的花园。可是，艾丽莎的脸上没有露出一丝笑容。

到了晚上，国王把艾丽莎领到了一个房间。房间里竟装饰得跟她住过的那个山洞完全一样：地板上搁着一捆荨麻，天花板下挂着已经织好的披甲。这些都是国王特意为她准备的礼物。艾丽莎看到这些东西，终于露出了微笑。

很快，国王和艾丽莎就举行了婚礼。国王深深地爱着艾丽莎，而艾丽莎也非常爱国王。她多么想向国王表达自己的爱意，同时向他吐露自己的痛苦啊！但是为了拯救哥哥们，她只能保持沉默。

每到半夜，她就偷偷地来到那个房间，一件接一件地织着披甲。可当她织到第七件的时候，荨麻用完了。她知道教堂的墓地里生长着荨麻，就在一天夜里，偷偷地来到了教堂墓地。

墓地里，聚集着很多吸血鬼，他们都用可怕的眼睛死死地盯着艾丽莎。艾丽莎克服恐惧，埋头采集起那些刺手的荨麻。

可是这一切被恶毒的大主教发现了，他把这些都告诉了国王。

国王并不相信大主教的话，但是他也渐渐发现，艾丽莎常常在半夜离开卧室。当艾丽莎织到最后一件披甲的时候，荨麻又没了。这一次，国王偷偷地跟着她来到了墓地。

"天哪！她真的和吸血鬼们在

一起！让众人来裁判她吧！"国王伤心地
说。众人一致决定：应该把她烧死。艾丽莎
被带到了一个阴湿的地窖里。人们不再让
她穿天鹅绒和丝制的衣服，只是把那些织
好的披甲和采集来的荨麻都给了她。艾丽
莎继续不停地织着披甲。

天亮了，艾丽莎坐在一辆囚车里，被拉
到了刑场。这时，她还在不停地编织着披
甲。她的脚旁放着十件披甲，她正在编织第
十一件。

众人都在骂她："瞧这个巫婆，她还在
忙着弄她那可憎的妖物，把它夺过来吧！"
大家都向她拥过去，想把她手中的东西撕

chéng suì piàn
成 碎 片 。

　　　zhè shí　shí yī zhī tiān é fēi lái le　jǐn jǐn de hù zhù
　　这 时 ，十 一 只 天 鹅 飞 来 了 ，紧 紧 地 护 住

le ài lì shā
了 艾 丽 莎 。

　　　ài lì shā zhōng yú zhī hǎo le　zuì hòu yí jiàn pī jiǎ　gǎn jǐn
　　艾 丽 莎 终 于 织 好 了 最 后 一 件 披 甲 ，赶 紧

bǎ shí yī jiàn pī jiǎ quán bù pāo xiàng tiān é men　shí yī zhī tiān é
把 十 一 件 披 甲 全 部 抛 向 天 鹅 们 ，十 一 只 天 鹅

chuān shàng pī jiǎ hòu　zhuǎn yǎn jiān jiù biàn chéng le shí yī gè yīng jùn
穿 上 披 甲 后 ，转 眼 间 就 变 成 了 十 一 个 英 俊

de wáng zǐ
的 王 子 。

　　　xiàn zài wǒ kě yǐ kāi kǒu jiǎng huà le　　ài lì shā shuō
　　"现 在 我 可 以 开 口 讲 话 了 ！" 艾 丽 莎 说 ，

wǒ shì wú zuì de
"我 是 无 罪 的 ！"

<ruby>是<rt>shì</rt></ruby><ruby>的<rt>de</rt></ruby>，<ruby>她<rt>tā</rt></ruby><ruby>是<rt>shì</rt></ruby><ruby>无<rt>wú</rt></ruby><ruby>罪<rt>zuì</rt></ruby><ruby>的<rt>de</rt></ruby>！"<ruby>最<rt>zuì</rt></ruby><ruby>大<rt>dà</rt></ruby><ruby>的<rt>de</rt></ruby><ruby>王<rt>wáng</rt></ruby><ruby>子<rt>zǐ</rt></ruby><ruby>说<rt>shuō</rt></ruby>。<ruby>他<rt>tā</rt></ruby><ruby>把<rt>bǎ</rt></ruby><ruby>所<rt>suǒ</rt></ruby><ruby>有<rt>yǒu</rt></ruby><ruby>的<rt>de</rt></ruby><ruby>事<rt>shì</rt></ruby><ruby>情<rt>qing</rt></ruby><ruby>都<rt>dōu</rt></ruby><ruby>告<rt>gào</rt></ruby><ruby>诉<rt>su</rt></ruby><ruby>了<rt>le</rt></ruby><ruby>国<rt>guó</rt></ruby><ruby>王<rt>wáng</rt></ruby>。<ruby>当<rt>dāng</rt></ruby><ruby>他<rt>tā</rt></ruby><ruby>说<rt>shuō</rt></ruby><ruby>话<rt>huà</rt></ruby><ruby>的<rt>de</rt></ruby><ruby>时<rt>shí</rt></ruby><ruby>候<rt>hou</rt></ruby>，<ruby>柴<rt>chái</rt></ruby><ruby>火<rt>huo</rt></ruby><ruby>堆<rt>duī</rt></ruby><ruby>上<rt>shang</rt></ruby><ruby>的<rt>de</rt></ruby><ruby>每<rt>měi</rt></ruby><ruby>根<rt>gēn</rt></ruby><ruby>木<rt>mù</rt></ruby><ruby>头<rt>tou</rt></ruby><ruby>都<rt>dōu</rt></ruby><ruby>生<rt>shēng</rt></ruby><ruby>出<rt>chū</rt></ruby><ruby>了<rt>le</rt></ruby><ruby>根<rt>gēn</rt></ruby>，<ruby>冒<rt>mào</rt></ruby><ruby>出<rt>chū</rt></ruby><ruby>了<rt>le</rt></ruby><ruby>枝<rt>zhī</rt></ruby><ruby>子<rt>zi</rt></ruby>，<ruby>然<rt>rán</rt></ruby><ruby>后<rt>hòu</rt></ruby><ruby>长<rt>zhǎng</rt></ruby><ruby>满<rt>mǎn</rt></ruby><ruby>了<rt>le</rt></ruby><ruby>红<rt>hóng</rt></ruby><ruby>色<rt>sè</rt></ruby><ruby>的<rt>de</rt></ruby><ruby>玫<rt>méi</rt></ruby><ruby>瑰<rt>gui</rt></ruby>。<ruby>国<rt>guó</rt></ruby><ruby>王<rt>wáng</rt></ruby><ruby>摘<rt>zhāi</rt></ruby><ruby>下<rt>xià</rt></ruby><ruby>其<rt>qí</rt></ruby><ruby>中<rt>zhōng</rt></ruby><ruby>最<rt>zuì</rt></ruby><ruby>美<rt>měi</rt></ruby><ruby>的<rt>de</rt></ruby><ruby>一<rt>yì</rt></ruby><ruby>朵<rt>duǒ</rt></ruby>，<ruby>把<rt>bǎ</rt></ruby><ruby>它<rt>tā</rt></ruby><ruby>插<rt>chā</rt></ruby><ruby>在<rt>zài</rt></ruby><ruby>了<rt>le</rt></ruby><ruby>艾<rt>ài</rt></ruby><ruby>丽<rt>lì</rt></ruby><ruby>莎<rt>shā</rt></ruby><ruby>的<rt>de</rt></ruby><ruby>胸<rt>xiōng</rt></ruby><ruby>前<rt>qián</rt></ruby>，<ruby>再<rt>zài</rt></ruby><ruby>一<rt>yí</rt></ruby><ruby>次<rt>cì</rt></ruby><ruby>向<rt>xiàng</rt></ruby><ruby>艾<rt>ài</rt></ruby><ruby>丽<rt>lì</rt></ruby><ruby>莎<rt>shā</rt></ruby><ruby>表<rt>biǎo</rt></ruby><ruby>达<rt>dá</rt></ruby><ruby>了<rt>le</rt></ruby><ruby>自<rt>zì</rt></ruby><ruby>己<rt>jǐ</rt></ruby><ruby>的<rt>de</rt></ruby><ruby>爱<rt>ài</rt></ruby><ruby>意<rt>yì</rt></ruby>。

<ruby>最<rt>zuì</rt></ruby><ruby>后<rt>hòu</rt></ruby>，<ruby>国<rt>guó</rt></ruby><ruby>王<rt>wáng</rt></ruby><ruby>把<rt>bǎ</rt></ruby><ruby>艾<rt>ài</rt></ruby><ruby>丽<rt>lì</rt></ruby><ruby>莎<rt>shā</rt></ruby><ruby>重<rt>chóng</rt></ruby><ruby>新<rt>xīn</rt></ruby><ruby>接<rt>jiē</rt></ruby><ruby>回<rt>huí</rt></ruby><ruby>了<rt>le</rt></ruby><ruby>王<rt>wáng</rt></ruby><ruby>宫<rt>gōng</rt></ruby>，<ruby>他<rt>tā</rt></ruby><ruby>们<rt>men</rt></ruby><ruby>又<rt>yòu</rt></ruby><ruby>过<rt>guò</rt></ruby><ruby>上<rt>shàng</rt></ruby><ruby>了<rt>le</rt></ruby><ruby>幸<rt>xìng</rt></ruby><ruby>福<rt>fú</rt></ruby><ruby>的<rt>de</rt></ruby><ruby>生<rt>shēng</rt></ruby><ruby>活<rt>huó</rt></ruby>。

夜莺

gǔ dài de zhōng guó yǒu yí wèi huáng dì　　tā yǒu yí gè hěn dà
古代的中国有一位皇帝，他有一个很大

de huā yuán　　zài dà huā yuán wài de shù lín li　　zhù zhe yì zhī yǒu
的花园。在大花园外的树林里，住着一只有

zhe měi miào gē hóu de yè yīng
着美妙歌喉的夜莺。

huáng dì　tīng shuō le zhè zhī yè
皇帝听说了这只夜

yīng　　jiù pài rén qǐng tā dào gōng diàn li
莺，就派人请它到宫殿里

wèi zì jǐ chàng gē　　yè yīng lái
为自己唱歌。夜莺来

dào huá lì de huáng gōng　　kāi
到华丽的皇宫，开

shǐ le gē chàng　　tā de gē
始了歌唱。它的歌

shēng shì nà me měi miào　　lián
声是那么美妙，连

皇帝都被感动得落下了眼泪。

在皇帝的挽留下，夜莺在皇宫里住了下来。每天，它都为皇帝纵情地歌唱。

有一天，日本皇帝给中国皇帝送来了一件礼物，那是一只全身缀满宝石的人造夜莺。它跟真正的夜莺一模一样，只要把它的发条上好，它就能唱出真正的夜莺所唱的歌。

皇帝高兴极了，立刻让人造夜莺歌唱，它唱得非常动听。就在皇帝和大臣们一遍又一遍地欣赏着人造夜莺的歌声时，那只真正的夜莺已悄悄地飞出窗子，飞回到树林里去了。

从此，人造夜莺成了皇宫里唯一的歌

手。它被放在皇帝床边的丝垫子上，还得到了很多的金子和宝石。

　　整整一年过去了。有一天晚上，当人造夜莺正在为皇帝唱歌的时候，忽然从它的身体里发出了一阵"咝咝"的声音，好像什么东西断了，之后歌声就停止了。后来，一个钟表匠勉强修好了它，但它一年只能唱一次歌了。

　　又过去了五年，皇帝生了重病，就快要死了，连新皇帝都选好了。

　　老皇帝僵直地躺在床上，面色惨白。他很害怕死神带走他，就想让人造夜莺唱支歌，为他驱走恐怖。可人造夜莺却一动不动，因为没人为它拧发条，大家都跑去向新皇帝致敬了。

　　正在这时，窗外响起了一阵悦耳的歌

声。原来那只真夜莺听说了皇帝的悲惨境况，特地赶来为他歌唱，给他安慰和希望。

渐渐地，在皇帝孱弱的肢体里，血液又开始活泼地流淌起来。

皇帝的病奇迹般地好转起来。他很后悔自己曾经忽视夜莺，并邀请夜莺永远和他住在一起。夜莺谢绝道："我要去为劳动人民歌唱，不过您需要我的时候，我会来为您歌唱的。"说完，它就飞走了。

侍从们都进来瞧他们那快死的皇帝，而皇帝却对他们说道："早安！"

图书在版编目（CIP）数据

安徒生童话／龚勋主编.—北京：中国书店，2010.3（2011.3 重印）
（世界经典童话宝库：彩图注音版）
ISBN 978-7-80663-596-4

Ⅰ.安… Ⅱ.龚… Ⅲ.汉语拼音－儿童读物 Ⅳ.H125.4

中国版本图书馆 CIP 数据核字（2010）第 007869 号

安徒生童话

原　　著	安徒生	
编　　者	龚　勋	
责任编辑	刘小晖　汤慧芸	

出　　版	中国书店	
社　　址	北京市西城区琉璃厂东街 115 号	
邮　　编	100050	
经　　销	全国新华书店经销	
印　　刷	北京楠萍印刷有限公司	
开　　本	889×1194　1/32	
字　　数	156 千字	
印　　张	8	
版　　次	2010 年 1 月第 1 版　2011 年 3 月第 2 次印刷	
书　　号	ISBN 978-7-80663-596-4	
定　　价	398.00 元（全十册）	

本版图书如有印、装错误，工厂负责退换。联系电话：010-52780202